Los aeropuertos

JAIRO BUITRAGO

JUAN MAYORGA

CONACULTA

DIRECCIÓN GENERAL
DE PUBLICACIONES

CASTILLO

La ciudad amanece; arriba tiene cielo, siempre tiene cielo.

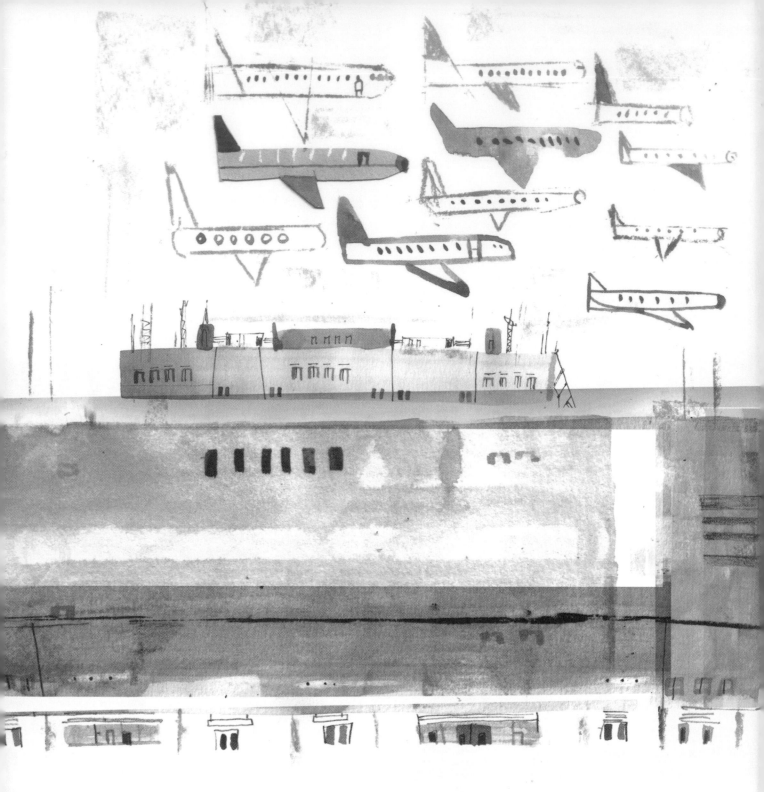

En los aeropuertos la gente camina dormida y luego se va por el cielo.

La ciudad es muy grande, inmensa, y el señor está solo con su maleta.

Debe esperar todo el día, antes de irse de nuevo.

Camina y camina. A veces mira a alguien, mira las nubes.

Cuando de pronto la ve ahí, en una vitrina. Está sola, igual que él.

Y en esa gran ciudad se la prestan por un rato, si así lo quiere.

El señor de la maleta deja su pasaporte con la foto
de cuando era más joven y más feliz.

Le prestan a Lost.
Se llama Lost porque la encontraron perdida en una avenida grande.

Juntos recorren la ciudad por un rato.

Lost camina y camina. A veces mira a alguien, mira las nubes.

Juega en el parque a correr, mientras otros perros
se bañan en la fuente para aliviarse del sol.

Lost se pierde entre los árboles, se esconde. Y aunque el señor la llama a gritos, ella finge que no escucha.

Hasta que el señor, cansado, se sienta en una banca; y mientras el sol se oculta la ciudad se vuelve rojiza y las hojas secas se van con el viento. También se van los niños y la gente grande...

Pero él no está solo.

Ya se va el tiempo junto con las hojas
y el señor devuelve a Lost al albergue,
donde le regresan su pasaporte con la foto
de cuando era más joven y más feliz.

Luego regresa con prisa al aeropuerto.
En el camino mira a alguien de reojo y sonríe.

El señor, cansado, espera en una silla.
Es mejor sentir cansancio para dormir en el avión.

Así es siempre en los aeropuertos.

La ciudad enorme sigue ahí y él la mirará desde el cielo.

Y Lost, desde su ventana, mirará las nubes.

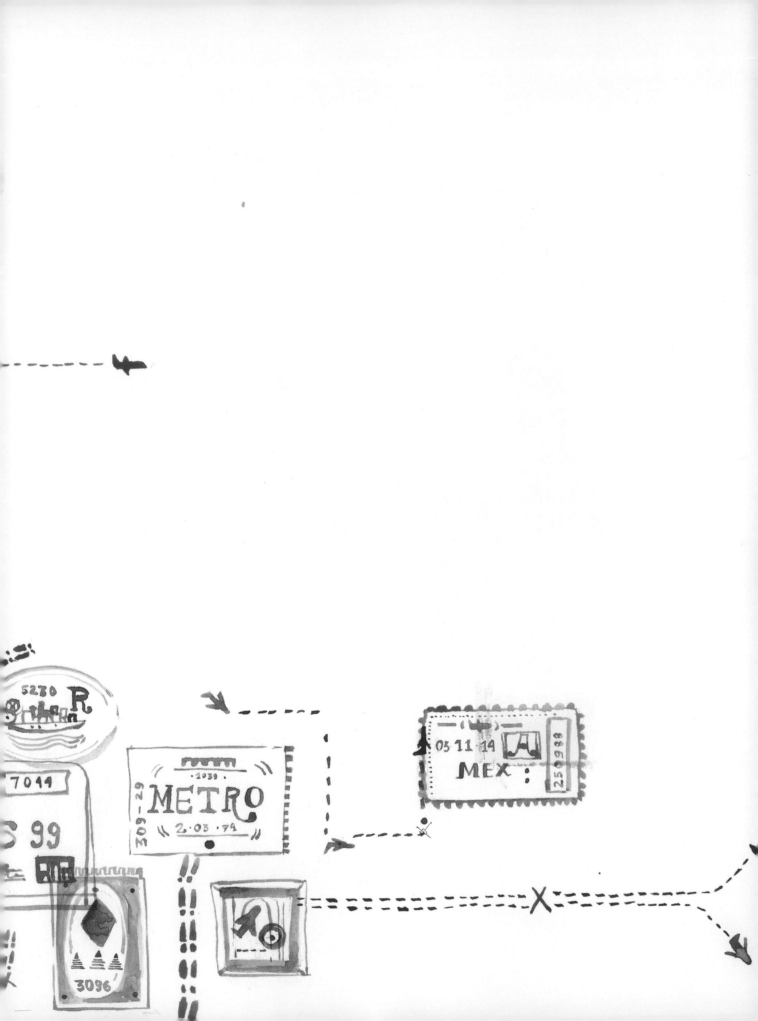

Para Adriana y Valentina
J.B.

Dirección editorial: Cristina Arasa
Coordinación de la colección: Mariana Mendía
Edición: Libia Brenda Castro
Diseño y formación: Javier Morales Soto

Los aeropuertos

D.R. © 2014 Texto: Jairo Gabriel Buitrago Triviño
D.R. © 2014 Ilustraciones: Juan Camilo Mayorga Olmos

Coedición: Ediciones Castillo, S. A. de C. V.
Consejo Nacional para la Cultura y las Artes
Dirección General de Publicaciones

Primera edición: septiembre de 2014
D. R. © 2014, Ediciones Castillo, S.A. de C.V.

Castillo ® es una marca registrada.
Insurgentes Sur 1886, Col. Florida,
Del. Álvaro Obregón,
C.P. 01030, México, D.F.

D.R. © 2014, Consejo Nacional para la Cultura y las Artes
Dirección General de Publicaciones
Avenida Paseo de la Reforma 175, Col. Cuauhtémoc,
C. P. 06500, México, D. F.
www.conaculta.gob.mx

**Ediciones Castillo forma parte
del Grupo Macmillan**

**www.grupomacmillan.com
www.edicionescastillo.com
infocastillo@grupomacmillan.com
Lada sin costo: 01 800 536 1777**

Miembro de la Cámara Nacional
de la Industria Editorial Mexicana.
Registro núm. 3304

ISBN: 978-607-621-088-8, Ediciones Castillo
ISBN: 978-607-516-708-4, CONACULTA

Impreso en México/*Printed in Mexico*

Impreso en los talleres de Editorial Impresora Apolo, S. A. de C. V.
Centeno 150-6, Col. Granjas Esmeralda, Delegación Iztapalapa,
C.P. 09810, México, D.F.
Septiembre de 2014.